小学语文同步阅读

在天晴了的时候

戴望舒◎著

长江出版传媒 | 长江文艺出版社

长江乐读 陪你乐读文学经典

好听

有 声 书 用声音诠释经典，闭上眼睛听好书。

好书领读 多视角解读，挖掘图书背后不为人知的故事。

好学

写作素材 精选好词好句、时事案例、环球见闻等，帮你提升写作能力。

好看

电 子 书 手机阅读更方便，更有风格多样的插画版电子书不定期更新。

推荐书单 看完一本不过瘾？推荐更多同类好书，根据你的喜好定制书单。

好玩

乐读论坛 精美日签、话题讨论、阅读活动等，跟乐读伙伴一起开启读书新方式。

每日打卡 养成阅读打卡习惯，完成任务还可享受购书优惠，读得越多，省得越多。

简单三步，马上乐读！

● 第一步：微信扫描右侧二维码，进入"长江乐读"小程序

● 第二步：搜索你感兴趣的图书

● 第三步：打卡签到，听有声书、看电子书，领取作文素材包

目 录

雨巷 / 001

山行 / 004

静夜 / 005

残花的泪 / 006

凝泪出门 / 008

在天晴了的时候 / 009

生涯 / 011

有赠 / 013

村姑 / 014

烦忧 / 016

不要这样盈盈地相看 / 017

Mandoline（闻曼陀铃）/ 019

可知 / 020

眼 / 022

我用残损的手掌 / 025

对于天的怀乡病 / 027

游子谣 / 029

旅思 / 031

元日祝福 / 032

狱中题壁 / 033

心愿 / 035

口号 / 037

等待（一）/ 039

等待（二）/ 040

我的记忆 / 042

夜行者 / 044

寻梦者 / 045

独自的时候 / 047

少年行 / 049

我的素描 / 050

偶成 / 052

微笑 / 053

小曲 / 054

我思想 / 055

过时 / 056

老之将至 / 057

夕阳下 / 059

野宴 / 061

二月 / 062

深闭的园子 / 063

秋天 / 064

秋蝇 / 066

秋天的梦 / 068

秋夜思 / 069

霜花 / 070

寒风中闻雀声 / 071

流浪人的夜歌 / 073

印象 / 074

小病 / 075

不寐 / 076

乐园鸟 / 078

致萤火 / 080

古神祠前 / 082

见毋忘我花 / 084

萧红墓畔口占 / 086

赠克木 / 087

夜蛾 / 089

寂寞 / 090

白蝴蝶 / 091

过旧居（初稿）/ 092

过旧居 / 093

示长女 / 097

断指 / 100

祭日 / 102

我们的小母亲 / 104

灯 / 106

断章 / 108

流水 / 109

赠内 / 111

断篇 / 112

无题 / 113

狼和羔羊（寓言诗）/ 114

雨　巷

撑着油纸伞，独自
彷徨在悠长，悠长
又寂寥的雨巷，
我希望逢着
一个丁香一样地
结着愁怨的姑娘

她是有
丁香一样的颜色，
丁香一样的芬芳，
丁香一样的忧愁，
在雨中哀怨，
哀怨又彷徨；

她彷徨在这寂寥的雨巷
撑着油纸伞
像我一样，

像我一样地

默默彳亍着，

冷漠，凄清，又惆怅。

她默默地走近

走近，又投出

太息一般的眼光，

她飘过

像梦一般地，

像梦一般地凄婉迷茫。

像梦中飘过

一枝丁香地，

我身旁飘过这女郎；

她静默地远了，远了，

到了颓圮的篱墙，

走尽这雨巷。

在雨的哀曲里，

消了她的颜色，

散了她的芬芳，

消散了，甚至她的

太息般的眼光，

丁香般的惆怅。①

撑着油纸伞，独自
彷徨在悠长，悠长
又寂寥的雨巷，
我希望飘过
一个丁香一样地
结着愁怨的姑娘。

<hr>

① 收入《望舒诗稿》时，此句从"她丁香般的惆怅"中删去"她"字。

山　行

见了你朝霞的颜色，
便感到我落月的沉哀，
却似晓天的云片，
烦怨飘上我心来。

可是不听你啼鸟的娇音，
我就要像流水的呜咽，
却似凝露的山花，
我不禁地泪珠盈睫。

我们彳亍在微茫的山径，
让梦香吹上了征衣，
和那朝霞，和那啼鸟，
和你不尽的缠绵意。

静　夜

像侵晓蔷薇的蓓蕾
含着晶耀的香露，
你盈盈地低泣，低着头，
你在我心头开了烦忧路。

你哭泣嘤嘤地不停，
我心头反复地不宁：
这烦忧是从何处生
使你堕泪，又使我伤心？

停了泪儿啊，请莫悲伤，
且把那原因细讲，
在这幽夜沉寂又微凉，
人静了，这正是时光。

残花的泪

寂寞的古园中，
明月照幽素，
一枝凄艳的残花
对着蝴蝶泣诉：

我的娇丽已残，
我的芳时已过，
今宵我流着香泪，
明朝会萎谢尘土。

我的旖艳与温馨，
我的生命与青春
都已为你所有，
都已为你消受尽！

你旧日的蜜意柔情
如今已抛向何处？

看见我憔悴的颜色，
你啊，你默默无语！

你会把我孤凉地抛下，
独自蹁跹地飞去，
又飞到别枝春花上，
依依地将她恋住。

明朝晓日来时
小鸟将为我唱薤露歌；
你啊，你不会眷顾旧情
到此地来凭吊我！

凝泪出门

昏昏的灯，
溟溟的雨，
沉沉的未晓天；
凄凉的情绪，
将我的愁怀占住。

凄绝的寂静中，
你还酣睡未醒；
我无奈踯躅徘徊，
独自凝泪出门：
啊，我已够伤心。

清冷的街灯，
照着车儿前进；
在我的胸怀里，
我是失去了欢欣，
愁苦已来临。

在天晴了的时候

在天晴了的时候，
该到小径中去走走：
给雨润过的泥路，
一定是凉爽又温柔；
炫耀着新绿的小草，
已一下子洗净了尘垢；
不再胆怯的小白菊，
慢慢地抬起它们的头，
试试寒，试试暖，
然后一瓣瓣地绽透；
抖去水珠的凤蝶儿
在木叶间自在闲游，
把它的饰彩的智慧书页
曝着阳光一开一收。

到小径中去走走吧，
在天晴了的时候：

赤着脚，携着手，
踏着新泥，涉过溪流。

新阳推开了阴霾了，
溪水在温风中晕皱，
看山间移动的暗绿——
云的脚迹——它也在闲游。

到小径中去走走吧，

在天晴了的时候：

赤着脚，携着手，

踏着新泥，涉过溪流。

生　涯

泪珠儿已抛残，
只剩了悲思。
无情的百合啊，
你明丽的花枝。
你太娟好，太轻盈，
人间天上不堪寻。

人间伴我惟孤苦，
白昼给我是寂寥；
只有那甜甜的梦儿
慰我在深宵：
我希望长睡沉沉，
长在那梦里温存。

可是清晨我醒来
在枕边找到了悲哀：
欢乐只是一幻梦，

孤苦却待我生挨！
我暗把泪珠哽咽，
我又生活了一天。

泪珠儿已抛残，
悲思偏无尽，
啊，我生命的慰安！
我屏营待你垂悯：
在这世间寂寂，
朝朝只有呜咽。

有　赠

谁曾为我束起许多花枝，
灿烂又憔悴了的花枝，
谁曾为我穿起许多泪珠，
又倾落到梦里去的泪珠？

我认识你充满了怨恨的眼睛，
我知道你愿意缄在幽暗中的话语，
你引我到了一个梦中，
我却又在另一个梦中忘了你。

我的梦和我的遗忘中的人，
哦，受过我暗自祝福的人，
终日有意地灌溉着蔷薇，
我却无心让寂寞的兰花愁谢。

村　姑

村里的姑娘静静地走着，
提着她的蚀着青苔的水桶；
溅出来的冷水滴在她的跣足上，
而她的心是在泉边的柳树下。

这姑娘会静静地走到她的旧屋去，
那在一棵百年的冬青树荫下的旧屋，
而当她想到在泉边吻她的少年，
她会微笑着，抿起了她的嘴唇。

她将走到那古旧的木屋边，
她将在那里惊散了一群在啄食的瓦雀，
她将静静地走到厨房里，
又静静地把水桶放在干刍边。

她将帮助她的母亲造饭，
而从田间回来的父亲将坐在门槛上抽烟，

她将给猪圈里的猪喂食，
有将可爱的鸡赶进它们的窠里去。

在暮色中吃晚饭的时候，
她父亲会谈着今年的收成，
他或许会说到他的女儿的婚嫁，
而她便将羞怯地低下头去。

她的母亲或许会说她的懒惰，
（她打水的迟延便是一个好例子，）
但是她不会听到这些话，
因为她在想着那有点鲁莽的少年。

烦　忧

说是寂寞的秋的清愁。
说是辽远的海的相思。
假如有人问我的烦忧，
我不敢说出你的名字。

我不敢说出你的名字，
假如有人问我的烦忧：
说是辽远的海的相思。
说是寂寞的秋的清愁。

不要这样盈盈地相看①

不要这样盈盈地相看，
把你伤感的头儿垂倒，
静，听啊，远远地，在林里，
在死叶上的希望又醒了。

是一个昔日的希望，
它沉睡在林里已多年；
是一个缠绵烦琐的希望，
它早在遗忘里沉湮。

不要这样盈盈地相看，
把你伤感的头儿垂倒，
这一个昔日的希望，
它已被你惊醒了。

这是缠绵烦琐的希望，

---

① 收入《望舒诗稿》时，改题作《不要这样》。

如今已被你惊起了
它又要依依地前来
将你与我烦扰。

不要这样盈盈地相看，
把你伤感的头儿垂倒，
静，听啊，远远地，从林里，
惊醒的昔日的希望来了。

Mandoline① （闻曼陀铃）

从水上飘起的，春夜的 Mandoline，
你咽怨的亡魂，孤冷又缠绵，
你在哭你的旧时情？

你徘徊到我的窗边，
寻不到昔日的芬芳，
你惆怅地哭泣到花间。

你凄婉地又重进我的纱窗，
还想寻些坠鬈的珠屑——
啊，你又失望地咽泪去他方。

你依依地又来到我耳边低泣，
啼着那颓唐哀怨之音；
然后，懒懒地，到梦水间消歇。

_____

① 标题是法文，收入《望舒诗稿》时译为《闻曼陀铃》，略作修改。

可　知

可知怎的旧时的欢乐
到回忆都变作悲哀，
在月暗灯昏时候
重重地兜上心来，
啊，我的欢爱！

为了如今惟有愁和苦，
朝朝的难遣难排，
恐惧以后无欢日，
愈觉得旧时难再，
啊，我的欢爱！

可是只要你能爱我深，
只要你深情不改，
这今日的悲哀，
会变作来朝的欢快，
啊，我的欢爱！

否则悲苦难排解，
幽暗重重向我来，
我将含怨沉沉睡，
睡在那碧草青苔，
啊，我的欢爱！

眼

在你的眼睛的微光下，
迢遥的潮汐升涨：
玉的珠贝，
青铜的海藻……
千万尾飞鱼的翅，
剪碎分而复合的
顽强的渊深的水。

无渚崖的水，
暗青色的水！
在什么经纬度上的海中，
我投身又沉溺在
以太阳之灵照射的诸太阳间，
以月亮之灵映光的诸月亮间，
以星辰之灵闪烁的诸星辰间？
于是我是彗星，
有我的手，

有我的眼，

并尤其有我的心。

我晞曝于你的眼睛的

苍茫朦胧的微光中，

并在你上面，

在你的太空的镜子中

鉴照我自己的

透明而畏寒的

火的影子，

死去或冰冻的火的影子。

我伸长，我转着，

我永恒地转着，

在你永恒的周围

并在你之中……

我是从天上奔流到海，

从海奔流到天上的江河，

我是你每一条动脉，

每一条静脉，

每一个微血管中的血液，

我是你的睫毛

（它们也同样在你的
眼睛的镜子里顾影）
是的，你的睫毛，你的睫毛，

而我是你，
因而我是我。

我用残损的手掌

我用残损的手掌

摸索这广大的土地：

这一角已变成灰烬，

那一角只是血和泥；

这一片湖该是我的家乡，

（春天，堤上繁花如锦幛，

嫩柳枝折断有奇异的芬芳，）

我触到荇藻和水的微凉；

这长白山的雪峰冷到彻骨，

这黄河的水夹泥沙在指间滑出；

江南的水田，你当年新生的禾草

是那么细，那么软……现在只有蓬蒿；

岭南的荔枝花寂寞地憔悴，

尽那边，我蘸着南海没有渔船的苦水……

无形的手掌掠过无限的江山，

手指沾了血和灰，手掌黏了阴暗，

只有那辽远的一角依然完整，

温暖，明朗，坚固而蓬勃生春。

在那上面，我用残损的手掌轻抚，

像恋人的柔发，婴孩手中乳。

我把全部的力量运在手掌

贴在上面，寄与爱和一切希望，

因为只有那里是太阳，是春，

将驱逐阴暗，带来苏生，

因为只有那里我们不像牲口一样活，

蝼蚁一样死……那里，永恒的中国！

我把全部的力量运在手掌

贴在上面,寄与爱和一切希望,

因为只有那里是太阳,是春,

将驱逐阴暗,带来苏生……

对于天的怀乡病

怀乡病，怀乡病，
这或许是一切
有一张有些忧郁的脸，
一颗悲哀的心，
而且老是缄默着，
还抽着一支烟斗的
人们的生涯吧。

怀乡病，哦，我啊，
我也许是这类人之一，
我呢，我渴望着回返
到那个天，到那个如此青的天，
在那里我可以生活又死灭，
像在母亲的怀里，
一个孩子欢笑又啼泣。

我啊，我是一个怀乡病者，

对于天的，对于那如此青的天的；

那里，我是可以安憩地睡眠，

没有半边头风，没有不眠之夜，

没有心的一切的烦恼，

这心，它，已不是属于我的，

而有人已把它抛弃了，

像人们抛弃了敝屣一样。

游子谣

海上微风起来的时候，
暗水上开遍青色的蔷薇。
——游子的家园呢？

篱门是蜘蛛的家，
土墙是薜荔的家，
枝繁叶茂的果树是鸟雀的家。

游子却连乡愁也没有，
他沉浮在鲸鱼海蟒间：
让家园寂寞的花自开自落吧。

因为海上有青色的蔷薇，
游子要萦系他冷落的家园吗？
还有比蔷薇更清丽的旅伴呢。

清丽的小旅伴是更甜蜜的家园，

游子的乡愁在那里徘徊踯躅。

唔，永远沉浮在鲸鱼海蟒间吧。

旅　思

故乡芦花开的时候，
旅人的鞋跟染着征泥，
黏住了鞋跟，黏住了心的征泥，
几时经可爱的手拂拭？

栈石星饭的岁月，
骤山骤水的行程，
只有寂静中的促织声，
给旅人尝一点家乡的风味。

元日祝福

新的年岁带给我们新的希望。
祝福！我们的土地，
血染的土地，焦裂的土地，
更坚强的生命将从而滋长。

新的年岁带给我们新的力量。
祝福！我们的人民，
坚苦的人民，英勇的人民，
苦难会带来自由解放。

新的年岁带给我们新的希望。

祝福！我们的土地，

血染的土地，焦裂的土地，

更坚强的生命将从而滋长。

狱中题壁

如果我死在这里，
朋友啊，不要悲伤，
我会永远地生存
在你们的心上。

你们之中的一个死了，
在日本占领地的牢里，
他怀着的深深仇恨，
你们应该永远地记忆。

当你们回来，从泥土
掘起他伤损的肢体，
用你们胜利的欢呼
把他的灵魂高高扬起。

然后把他的白骨放在山峰，
曝着太阳，沐着飘风：

在那暗黑潮湿的土牢，

这曾是他唯一的美梦。

心　愿

几时可以开颜笑笑，
把肚子吃一个饱，
到树林子去散一会儿步，
然后回来安逸地睡一觉？
只有把敌人打倒。

几时可以再看见朋友们，
跟他们游山，玩水，谈心，
喝杯咖啡，抽一支烟，
念念诗，坐上大半天？
只有送敌人入殓。

几时可以一家团聚，
拍拍妻子，抱抱儿女，
烧个好菜，看本电影，
回来围炉谈笑到更深？
只有将敌人杀尽。

只有起来打击敌人，
自由和幸福才会临降，
否则这些全是白日梦
和没有现实的游想。

口　号

盟军的轰炸机来了，
看他们勇敢地飞翔，
向他们表示沉默的欢快，
但却永远不要惊慌。

看敌人四处钻，发抖：
盟军的轰炸机来了，
也许我们会碎骨粉身，
但总比死在敌人手上好。

我们需要冷静，坚忍，
离开兵营，工厂，船坞：
盟军的轰炸机来了，
叫敌人踏上死路。

苦难的岁月不会再迟延，
解放的好日子就快到，

你看带着这消息的

盟军的轰炸机来了。

等待（一）

我等待了两年，
你们还是这样遥远啊！
我等待了两年，
我的眼睛已经望倦啊！

说六个月可以回来啦，
我却等待了两年啊，
我已经这样衰败啦，
谁知道还能够活几天啊。

我守望着你们的脚步，
在熟稔的贫困和死亡间，
当你们再来，带着幸福，
会在泥土中看见我张大的眼。

等待（二）

你们走了，留下我在这里等，
看血污的铺石上徘徊着鬼影，
饥饿的眼睛凝望着铁栅，
勇敢的胸膛迎着白刃，
耻辱黏住每一颗赤心，
在那里，炽烈地燃烧着悲愤。

把我遗忘在这里，让我见见
屈辱的极度，沉痛的界限，
做个证人，做你们的耳、你们的眼，
尤其做你们的心，受苦难，磨练，
仿佛是大地的一块，让铁蹄蹂践，
仿佛是你们的一滴血，遗在你们后面。

没有眼泪没有语言的等待：
生和死那么紧地相贴相挨，
而在两者间，颀长的岁月在那里挤，

结伴儿走路，好像难兄难弟。

冢地只两步远近，我知道
安然占六尺黄土，盖六尺青草；
可是这儿也没有什么大不同，
在这阴湿、窒息的窄笼：
做白虱的巢穴，做泔脚缸，
让脚气慢慢延伸到小腹上，
做柔道的呆对手，剑术的靶子，
从口鼻一齐喝水，然后给踩肚子，
膝头压在尖钉上，砖头垫在脚踵上，
听鞭子在皮骨上舞，做飞机在梁上荡……

多少人从此就没有回来，
然而活着的却耐心地等待。

让我在这里等待，
耐心地等你们回来：
做你们的耳目，我曾经生活，
做你们的心，我永远不屈服。

我的记忆①

我的记忆是忠实于我的，
忠实甚于我最好的友人。

它存在在燃着的烟卷上，
它存在在绘着百合花的笔杆上，
它存在在破旧的粉盒上，
它存在在颓垣的木莓上，
它存在在喝了一半的酒瓶上，
在撕碎的往日的诗稿上，在压干的花片上，
在凄暗的灯上，在平静的水上，
在一切有灵魂没有灵魂的东西上，
它在到处生存着，像我在这世界一样。

它是胆小的，它怕着人们的喧嚣，
但在寂寥时，它便对我来作密切的拜访。
它的声音是低微的，

---

① 收入《望舒草》时，改为《我的记忆》，此前为《我底记忆》。

但是它的话却很长，很长，

很长，很琐碎，而且永远不肯休；

它的话是古旧的，老讲着同样的故事，

它的音调是和谐的，老唱着同样的曲子，

有时它还模仿着爱娇的少女的声音，

它的声音是没有气力的，

而且还夹着眼泪，夹着太息。

它的拜访是没有一定的，

在任何时间，在任何地点，

时常当我已上床，蒙眬地想睡了；

或是选一个大清早，

人们会说它没有礼貌，

但是我们是老朋友。

它是琐琐地永远不肯休止的，

除非我凄凄地哭了，

或是沉沉地睡了，

但是我永远不讨厌它，

因为它是忠实于我的。

夜行者

这里他来了：夜行者！
冷清清的街道有沉着的跫音，
从黑茫茫的雾，
到黑茫茫的雾。

夜的最熟稔的朋友，
他知道它的一切琐碎，
那么熟稔，在它的熏陶中，
他染了它一切最古怪的脾气。

夜行者是最古怪的人。
你看他在黑夜里：
戴着黑色的毡帽，
迈着夜一样静的步子。

让我在这里等待，

耐心地等你们回来：

做你们的耳目，我曾经生活，

做你们的心，我永远不屈服。

寻梦者

梦会开出花来的，
梦会开出娇妍的花来的：
去求无价的珍宝吧。

在青色的大海里，
在青色的大海的底里，
深藏着金色的贝一枚。

你去攀九年的冰山吧，
你去航九年的旱海吧，
然后你逢到那金色的贝。

它有天上的云雨声，
它有海上的风涛声，
它会使你的心沉醉。

把它在海水里养九年，

把它在天水里养九年，
然后，它在一个暗夜里开绽了。

当你鬓发斑斑了的时候。
当你眼睛朦胧了的时候，
金色的贝吐出桃色的珠。

把桃色的珠放在你怀里，
把桃色的珠放在你枕边，
于是一个梦静静地升上来了。

你的梦开出花来了，
你的梦开出娇妍的花来了，
在你已衰老了的时候。

独自的时候

房里曾充满过清朗的笑声，
正如花园里充满过百合或素馨，
人在满积着梦的灰尘中抽烟，
沉想着凋残了的音乐。

在心头飘来飘去的是什么啊，
像白云一样的无定，像白云一样的沉郁？
而且要对它说话也是徒然的，
正如人徒然向白云说话一样。

幽暗的房里耀着的只有光泽的木器，
独语着的烟斗也黯然缄默，
人在尘雾的空间描摩着白润的裸体
和烧着人的火一样的眼睛。

为自己悲哀和为别人悲哀是同样的事，
虽然自己的梦是和别人的不同，

但是我知道今天我是流过眼泪，

而从外边，寂静是悄悄地进来。

少年行

是簪花的老人呢，
灰暗的篱笆披着茑萝；

旧曲在颤动的枝叶间死了，
新蜕的蝉用单调的生命赓续。

结客寻欢都成了后悔，
还要学少年的行踪吗？

平静的天，平静的阳光下，
烂熟的果子平静地落下来了。

我的素描

辽远的国土的怀念者，
我，我是寂寞的生物。

假若把我自己描画出来，
那是一幅单纯的静物写生。

我是青春和衰老的集合体，
我有健康的身体和病的心。

在朋友间我有爽直的声名，
在恋爱上我是一个低能儿。

因为当一个少女开始爱我的时候，
我先就要栗然地惶恐。

我怕着温存的眼睛，
像怕初春青空的朝阳。

我是高大的，我有光辉的眼；
我用爽朗的声音恣意谈笑。

但在悒郁的时候，我是沉默的，
悒郁着，用我二十四岁的整个的心。

偶　成

如果生命的春天重到，
古旧的凝冰都哗哗地解冻，
那时我会再看见灿烂的微笑，
再听见明朗的呼唤——这些迢遥的梦。

这些好东西都决不会消失，
因为一切好东西都永远存在，
它们只是像冰一样凝结，
而有一天会像花一样重开。

平静的天，平静的阳光下，

烂熟的果子平静地落下来了。

微　笑

轻岚从远山飘开，
水蜘蛛在静水上徘徊；
说吧：无限意，无限意。

有人微笑，
一颗心开出花来，
有人微笑，
许多脸儿忧郁起来。

做定情之花带的点缀吧，
做迢遥之旅愁的凭借吧。

小　曲

啼倦的鸟藏喙在彩翎间，
音的小灵魂向何处翩跹？
老去的花一瓣瓣委尘土，
香的小灵魂在何处流连？

它们不能在地狱里，不能，
这那么好，那么好的灵魂！
那么是在天堂，在乐园里？
摇摇头，圣彼得可也否认。

没有人知道在哪里，没有，
诗人却微笑而三缄其口：
有什么东西在调和氤氲，
在他的心的永恒的宇宙。

我思想

我思想，故我是蝴蝶……
万年后小花的轻呼，
透过无梦无醒的云雾，
来振撼我斑斓的彩翼。

过　时

说我是一个在怅惜着，
怅惜着好往日的少年吧，
我唱着我的崭新的小曲，
而你却揶揄：多么"过时！"

是呀，过时了，我的"单恋女"
都已经变作少妇或是母亲，
而我，我还可怜地年轻——
年轻？　不吧，有点靠不住。

是呀，年轻是有点靠不住，
说我是有一点老了吧！
你只看我戴帽子的姿态
它会告诉你一切，而我的眼睛亦然。

老实说，我是一个年轻了的老人了：
对于秋草秋风是太年轻了，
而对于春月春华却又太老。

我思想，故我是蝴蝶……

万年后小花的轻呼，

透过无梦无醒的云雾，

来振撼我斑斓的彩翼。

老之将至

我怕自己将慢慢地慢慢地老去，
随着那迟迟寂寂的时间，
而那每一个迟迟寂寂的时间，
是将重重地载着无量的怅惜的。

而在我坚而冷的圈椅中，在日暮，
我将看见，在我昏花的眼前
飘过那些模糊的暗淡的影子；
一片娇柔的微笑，一只纤纤的手，
几双燃着火焰的眼睛，
或是几点耀着珠光的眼泪。

是的，我将记不清楚了：
在我耳边低声软语着
"在最适当的地方放你的嘴唇"的，
是那樱花一般的樱子吗？

那是茹丽苕①吗，飘着懒倦的眼

望着她已卸了的锦缎的鞋子？ ……

这些，我将都记不清楚了，

因为我老了。

我说，我是担忧着怕老去，

怕这些记忆凋残了，

一片一片地，像花一样，

只留着垂枯的枝条，孤独地。

① 法文译音,妇女名。

夕阳下^①

晚云在暮天上散锦，

溪水在残日里流金；

我瘦长的影子飘在地上，

像山间古树的寂寞的幽灵。

远山啼哭得紫了，

哀悼着白日的长终；

落叶却飞舞欢迎

幽夜的衣角，那一片清风。

荒冢里流出幽古的芬芳，

在老树枝头把蝙蝠迷上，

它们缠绵琐细的私语，

在晚烟中低低地回荡。

幽夜偷偷地从天末归来，

① 收入《望舒诗稿》时，本篇略有修改。

我独自还恋恋地徘徊；

在这寂寞的心间，我是

消隐了忧愁，消隐了欢快。

野　宴

对岸青叶荫下的野餐，
只有百里香和野菊作伴；
河水已洗涤了碍人的礼仪，
白云遂成为飘动的天幕。

那里有木叶一般绿的薄荷酒，
和你所爱的芬芳的腊味，
但是这里有更可口的芦笋
和更新鲜的乳酪。

我的爱软的草的小姐，
你是知味的美食家，
先尝这开胃的饮料，
然后再试那丰盛的名菜。

二 月

春天已在野菊的头上梭巡着了，
春天已在斑鸠的羽上梭巡着了，
春天已在清溪的藻上梭巡着了，
绿荫的林遂成为恋的众香国。

于是原野将听倦了谎话的交换，
而不载重的无邪的小草
将醉着温软的皓体的甜香；

于是，在暮色冥冥里
我将听了最后一个游女的惋叹，
拈着一枝蒲公英缓缓地归去。

深闭的园子

五月的园子
已花繁叶满了，
浓荫里却静无鸟喧。

小径已铺满苔藓，
而篱门的锁也锈了——
主人却在迢遥的太阳下。

在迢遥的太阳下，
也有璀璨的园林吗？

陌生人在篱边探首，
空想着天外的主人。

秋　天①

再过几日秋天是要来了，
默坐着，抽着陶制的烟斗，
我已隐隐地听见它的歌吹
从江水的船帆上。

它是在奏着管弦乐：
这个使我想起做过的好梦；
从前认它为好友是错了，
因为它带来了忧愁给我。

林间的猎角声是好听的，
在死叶上的漫步也是乐事，
但是，独身汉的心地我是很清楚的，
今天，我是没有闲雅的兴致。

我对它没有爱也没有恐惧，

① 收入《望舒草》时，改题为《秋》，略作修改。

我知道它所带来的东西的重量，
我是微笑着，安坐在我的窗前，
当浮云带着恐吓的口气来说：
秋天要来了，望舒先生！

秋　蝇

木叶的红色，
木叶的黄色，
木叶的土灰色：
窗外的下午！

用一双无数的眼睛，
衰弱的苍蝇望得昏眩。
这样窒息的下午啊！
它无奈地搔着头搔着肚子。

木叶，木叶，木叶，
无边木叶萧萧下。

玻璃窗是寒冷的冰片了，
太阳只有苍茫的色泽。
巡回地散一次步吧！
它觉得它的脚软。

红色，黄色，土灰色，
昏眩的万花筒的图案啊！

迢遥的声音，古旧的，
大伽蓝的钟磬？天末的风？
苍蝇有点僵木，
这样沉重的翼翅啊！

飘下地，飘上天的木叶旋转着，
红色，黄色，土灰色的错杂的回轮。

无数的眼睛渐渐模糊，昏黑，
什么东西压到轻绡的翅上，
身子像木叶一般地轻，
载在巨鸟的翎翮上吗？

秋天的梦

迢遥的牧女的羊铃，
摇落了轻的树叶。

秋天的梦是轻的，
那是窈窕的牧女之恋。

于是我的梦静静地来了，
但却载着沉重的昔日。

哦，现在，我有一些寒冷，
一些寒冷，和一些忧郁。

五月的园子

已花繁叶满了，

浓荫里却静无鸟喧。

秋夜思

谁家动刀尺？
心也需要秋衣。

听鲛人的召唤，
听木叶的呼息！
风从每一条脉络进来，
窃听心的枯裂之音。

诗人云：心即是琴。
谁听过那古旧的阳春白雪？
为真知的死者的慰藉，
有人已将它悬在树梢，
为天籁之凭托——
但曾一度谛听的飘逝之音。

而断裂的吴丝蜀桐，
仅使人从弦柱间思忆华年。

霜　花

九月的霜花，
十月的霜花，
雾的娇女，
开到我鬓边来。

装点着秋叶，
你装点了单调的死，
雾的娇女，
来替我簪你素艳的花。

你还有珍珠的眼泪吗？
太阳已不复重燃死灰了。
我静观我鬓丝的零落，
于是我迎来你所装点的秋。

寒风中闻雀声^①

枯枝在寒风里悲叹，
死叶在大道上萎残；
雀儿在高唱薤露歌，
一半儿是自伤自感。

大道上寂寞凄清，
高楼上悄悄无声，
只有那孤岑的雀儿，
伴着孤岑的少年人。

寒风吹老了树叶，
又来吹老少年的华鬓，
更在他的愁怀里，
将一丝的温馨吹尽。

唱啊，我同情的雀儿，

---

① 收入《望舒诗稿》时，本篇略作修改。

唱破我芬芳的梦境；

吹罢，你无情的风儿，

吹断我飘摇的微命。

寒风吹老了树叶，

又来吹老少年的华鬟，

更在他的愁怀里，

将一丝的温馨吹尽。

流浪人的夜歌

残月是已死美人，
在山头哭泣嘤嘤，
哭她细弱的魂灵。

怪枭在幽谷悲鸣，
饥狼在嘲笑声声，
在那莽莽的荒坟。

此地黑暗的占领，
恐怖在统治人群，
幽夜茫茫地不明。

来到此地泪盈盈，
我是漂泊的孤身，
我要与残月同沉。

印　象

是飘落深谷去的
幽微的铃声吧，
是航到烟水去的
小小的渔船吧，
如果是青色的真珠；
它已堕到古井的暗水里。

林梢闪着的颓唐的残阳，
它轻轻地敛去了
跟着脸上浅浅的微笑。

从一个寂寞的地方起来的，
迢遥的，寂寞的呜咽，
又徐徐回到寂寞的地方，寂寞地。

小　病

从竹帘里漏进来的泥土的香
在浅春的风里它几乎凝住了；
小病的人嘴里感到了莴苣的脆嫩，
于是遂有了家乡小园的神往。

小园里阳光是常在芸苔的花上吧，
细风是常在细腰蜂的翅上吧，
病人吃的菜菔的叶子许被虫蛀了，
而雨后的韭菜却许已有甜味的嫩芽了。

现在，我是害怕那使我脱发的饕餮了，
就是那滑腻的海鳗般美味的小食也得斋戒，
因为小病的身子在浅春的风里是软弱的，
况且我又神往于家园阳光下的莴苣。

不　寐

在沉静的音波中，
每个爱娇的影子
在眩晕的脑里
作瞬间的散步；

只是短促的瞬间，
然后列成桃色的队伍，
月移花影地淡然消溶：
飞机上的阅兵式。

掌心抵着炎热的前额，
腕上有急促的温息；
是那一宵的觉醒啊？
这种透过皮肤的温息。

让沉静的最高的音波
来震破脆弱的耳膜吧。

窒息的白色的帐子，墙……

什么地方去喘一口气呢？

乐园鸟

飞着，飞着，春，夏，秋，冬，
昼，夜，没有休止，
华羽的乐园鸟，
这是幸福的云游呢，
还是永恒的苦役？

渴的时候也饮露，
饥的时候也饮露，
华羽的乐园鸟，
这是神仙的佳肴呢，
还是为了对于天的乡思？

是从乐园里来的呢，
还是到乐园里去的？
华羽的乐园鸟，
在茫茫的青空中，
也觉得你的路途寂寞吗？

假使你是从乐园里来的，

可以对我们说吗，

华羽的乐园鸟，

自从亚当、夏娃被逐后，

那天上的花园已荒芜到怎样了？

致萤火

萤火，萤火，
你来照我。

照我，照这沾露的草，
照这泥土，照到你老。

我躺在这里，让一颗芽
穿过我的躯体，我的心，
长成树，开花；

让一片青色的藓苔，
那么轻，那么轻
把我全身遮盖，

像一双小手纤纤，
当往日我在昼眠，
把一条薄被

在我身上轻披。

我躺在这里
咀嚼着太阳的香味；
在什么别的天地，
云雀在青空中高飞。

萤火，萤火
给一缕细细的光线——
够担得起记忆，
够把沉哀来吞咽！

古神祠前

古神祠前逝去的
暗暗的水上，
印着我多少的
思量底轻轻的脚迹，
比长脚的水蜘蛛，
更轻更快的脚迹。

从苍翠的槐树叶上，
它轻轻地跃到
饱和了古愁的钟声的水上，
它掠过涟漪，踏过荇藻，
跨着小小的，小小的
轻快的步子走。
然后，踌躇着，
生出了翼翅……

它飞上去了，

这小小的蜉蝣，

不，是蝴蝶，它翩翩飞舞，

在芦苇间，在红蓼花上；

它高升上去了，

化作一只云雀，

把清音撒到地上……

现在它是鹏鸟了。

在浮动的白云间，

在苍茫的青天上，

它展开翼翅慢慢地，

作九万里的翱翔，

前生和来世的逍遥游。

它盘旋着，孤独地，

在迢遥的云山上，

在人间世的边际；

长久地，固执到可怜。

终于，绝望地

它疾飞回到我心头

在那儿忧愁地蛰伏。

见毋忘我花

为你开的，
为我开的毋忘我花，
为了你的怀念，
为了我的怀念，
它在陌生的太阳下，
陌生的树林间，
谦卑地，悒郁地开着。

在僻静的一隅，
它为你向我说话，
它为我向你说话；
它重数我们用凝望
远方潮润的眼睛，
在沉默中所说的话，
而它的语言又是
像我们的眼一样沉默。

开着吧，永远开着吧，

挂虑我们的小小的青色的花。

萧红墓畔口占

走六小时寂寞的长途，
到你头边放一束红山茶，
我等待着，长夜漫漫，
你却卧听着海涛闲话。

我躺在这里

咀嚼着太阳的香味；

在什么别的天地，

云雀在青空中高飞。

赠克木①

我不懂别人为什么给那些星辰
取一些它们不需要的名称，
它们闲游在太空，无牵无挂，
不了解我们，也不求闻达。

记着天狼、海王、大熊……这一大堆，
还有它们的成分，它们的方位，
你绞干了脑汁，胀破了头，
弄了一辈子，还是个未知的宇宙。

星来星去，宇宙运行，
春秋代序，人死人生，
太阳无量数，太空无限大，
我们只是倏忽渺小的夏虫井蛙。

不痴不聋，不作阿家翁，

---

① 即金克木（1912—2000），现代诗人、散文家、翻译家。

为人之大道全在懵懂，

最好不求甚解，单是望望，

看天，看星，看月，看太阳。

也看山，看水，看云，看风，

看春夏秋冬之不同，

还看人世的痴愚，人世的佟偬：

静默地看着，乐在其中。

乐在其中，乐在空与时以外，

我和欢乐都超越过一切境界，

自己成一个宇宙，有它的日月星，

来供你钻究，让你皓首穷经。

或是我将变成一颗奇异的彗星，

在太空中欲止即止，欲行即行，

让人算不出轨迹，瞧不透道理，

然后把太阳敲成碎火，把地球撞成泥。

也看山，看水，看云，看风，

看春夏秋冬之不同，

还看人世的痴愚，人世的倥偬：

静默地看着，乐在其中。

夜　蛾

绕着蜡烛的圆光，
夜蛾作可怜的循环舞，
这些众香国的谪仙不想起
已死的虫，未死的叶。

说这是小睡中的亲人，
飞越关山，飞越云树，
来慰藉我们的不幸，
或者是怀念我们的死者，
被记忆所逼，离开了寂寂的夜台来。

我却明白它们就是我自己，
因为它们用彩色的大绒翅
遮覆住我的影子，
让它留在幽暗里。
这只是为了一念，不是梦，
就像那一天我化成凤。

寂 寞

园中野草渐离离，
托根于我旧时的脚印。
给他们披青春的彩衣；
星下的盘桓从兹消隐。

日子过去，寂寞永存，
寄魂于离离的野草。
像那些可怜的灵魂，
长得和我一般高。

我今不复到园中去，
寂寞已如我一般高；
我夜坐听风，昼眠听雨，
悟得月如何缺，天如何老。

白蝴蝶

给什么智慧给我，
小小的白蝴蝶，
翻开了空白之页，
合上了空白之页？

翻开的书页：
寂寞；
合上的书页：
寂寞。

过旧居（初稿）

静掩的窗子隔住了尘封的幸福，
寂寞的温暖饱和着辽远的炊烟——
陌生的声音还是解冻的呼唤？……
揾泪的过客在往昔生活了一瞬间。

过旧居

这样迟迟的日影，
这样温暖的寂静，
这片午饮的香味，
对我是多么熟稔。

这带露台，这扇窗
后面有幸福在窥望，
还有几架书，两张床，
一瓶花……这已是天堂。

我没有忘记：这是家，
妻如玉，女儿如花，
清晨的呼唤和灯下的闲话，
想一想，会叫人发傻；

单听他们亲昵地叫，
就够人整天地骄傲，

出门时挺起胸，伸直腰，

工作时也抬头微笑。

现在……可不是我回家的午餐？……

桌上一定摆上了盘和碗，

亲手调的羹，亲手煮的饭，

想起了就会嘴馋。

这条路我曾经走了多少回！

多少回？……过去都压缩成一堆，

叫人不能分辨，日子是那么相类，

同样幸福的日子，这些孪生姊妹！

我可糊涂啦，是不是今天

出门时我忘记说"再见"？

还是这事情发生在许多年前，

其中间隔着许多变迁？

可是这带露台，这扇窗，

那里却这样静，没有声响，

没有可爱的影子，娇小的叫嚷，

只是寂寞，寂寞，伴着阳光。

而我的脚步为什么又这样累？
是否我肩上压着苦难的岁月，
压着沉哀，透渗到骨髓，
使我眼睛朦胧，心头消失了光辉？

为什么辛酸的感觉这样新鲜？
好像伤没有收口，苦味在舌间。
是一个归途的设想把我欺骗，
还是灾难的岁月真横亘其间？

我不明白，是否一切都没改动，
却是我自己做了白日梦，
而一切都在那里，原封不动：
欢笑没有冰凝，幸福没有尘封？

或是那些真实的岁月，年代，
走得太快一点，赶上了现在，
回过头来瞧瞧，匆忙又退回来，
再陪我走几步，给我瞬间的欢快？

……

有人开了窗，

有人开了门，
走到露台上——
一个陌生人。

生活，生活，漫漫无尽的苦路！
咽泪吞声，听自己疲倦的脚步：
遮断了魂梦的不仅是海和天，云和树，
无名的过客在往昔作了瞬间的踌躇。

示长女

记得那些幸福的日子！
女儿，记在你幼小的心灵：
你童年点缀着海鸟的彩翎，
贝壳的珠色，潮汐的清音，
山岚的苍翠，繁花的绣锦，
和爱你的父母的温存。

我们曾有一个安乐的家，
环绕着淙淙的泉水声，
冬天曝着太阳，夏天笼着清荫，
白天有朋友，晚上有恬静，
岁月在窗外流，不来打扰，
屋里终年长驻的欢欣，
如果人家窥见我们在灯下谈笑，
就会觉得单为了这也值得过一生。

我们曾有一个临海的园子，

它给我们滋养的番茄和金笋，
你爸爸读倦了书去垦地，
你呢，你在草地上追彩蝶，
然后在温柔的怀里寻温柔的梦境。

人人说我们最快活，
也许因为我们生活得蠢，
也许因为你妈妈温柔又美丽，
也许因为你爸爸诗句最清新。

可是，女儿，这幸福是短暂的，
一霎时都被云锁烟埋；
你记得我们的小园临大海，
从那里你一去就不再回来，
从此我对着那迢遥的天涯，
松树下常常徘徊到暮霭。

那些绚烂的日子，像彩蝶，
现在枉费你摸索追寻，
我仿佛看见你从这间房
到那间，用小手挥逐阴影，
然后，缅想着天外的父亲，
把疲倦的头搁在小小的绣枕。

可是，记得那些幸福的日子，

女儿，记在你幼小的心灵，

你爸爸仍旧会来，像往日，

守护你的梦，守护你的醒。

断　指

在一口老旧的，满积着灰尘的书橱中，
我保存着一个浸在酒精瓶中的断指；
每当无聊地去翻寻古籍的时候，
它就含愁地向我诉说一个使我悲哀的记忆。

这是我一个已牺牲了的朋友的断指，
它是惨白的，枯瘦的，和我的友人一样；
时常萦系着我的，而且是很分明的，
是他将这断指交给我的时候的情景：

"替我保存这可笑可怜的恋爱的纪念吧，
在零落的生涯中，它是只能增加我的不幸。"
他的话是舒缓的，沉着的，像一个叹息，
而他的眼中似乎含有泪水，虽然微笑在脸上。

关于他的"可笑可怜的恋爱"我可不知道。
我知道的只是他在一个工人家里被捕去；

随后是酷刑吧，随后是惨苦的牢狱吧，

随后是死刑吧，那等待着我们大家的死刑吧。

关于他"可笑可怜的恋爱"我可不知道。

他从未对我谈起过，即使在喝醉酒时；

但是我猜想这一定是一段悲哀的事，他隐藏着，

他想使它随着截断的手指一同被遗忘了。

这断指上还染着油墨的痕迹，

是赤色的，是可爱的，光辉的赤色的，

它很灿烂地在这截断的手指上，

正如他责备别人懦怯的目光在我心头一样。

这断指常带了轻微又黏着的悲哀给我，

但是这在我又是一件很有用的珍品，

每当为了一件琐事而颓丧的时候，

我会说："好，让我拿出那个玻璃瓶来吧。"

祭　日

今天是亡魂的祭日，

我想起了我的死去了六年的友人。

或许他已老一点了，怅惜他爱娇的妻，

他哭泣着的女儿，他剪断了的青春。

他一定是瘦了，过着漂泊的生涯，在幽冥中，

但他的忠诚的目光是永远保留着的，

而我还听到他往昔的熟稔有劲的声音，

"快乐吗，老戴？"（快乐，唔，我现在已没有了。）

他不会忘记了我：这我是很知道的，

因为他还来找我，每月一二次，在我梦里，

他老是饶舌的，虽则他已归于永恒的沉寂，

而他带着忧郁的微笑的长谈使我悲哀。

我已不知道他的妻和女儿到哪里去了，

我不敢想起她们，我甚至不敢问他，在梦里，

当然她们不会过着幸福的生涯的，

像我一样，像我们大家一样。

快乐一点吧，因为今天是亡魂的祭日；

我已为你预备了在我算是丰盛的晚餐，

你可以找到我园里的鲜果，

和那你所嗜好的陈威士忌酒。

我们的友谊是永远地柔和的，

而我将和你谈着幽冥中的快乐和悲哀。

我们的小母亲

机械将完全地改变了,在未来的日子——
不是那可怖的汗和血的榨床,
不是驱向贫和死的恶魔的大车。
它将成为可爱的,温柔的,
而且仁慈的,我们的小母亲,
一个爱着自己的多数的孩子的,
用有力的,热爱的手臂,
紧抱着我们,抚爱着我们的
我们这一类人的小母亲。

是啊,我们将没有了恐慌,没有了憎恨,
我们将热烈地爱它,用我们多数的心。
我们不会觉得它是一个静默的铁的神秘,
在我们,它是有一颗充着慈爱的血的心的,
一个人间的孩子们的母亲。

于是,我们将劳动着,相爱着,

在我们的小母亲的怀里，

在我们的小母亲的怀里，

我们将互相了解，

更深切地互相了解……

而我们将骄傲地自庆着，

是啊，骄傲地，有一个

完全为我们的幸福操作着

慈爱地抚育着我们的小母亲，

我们的有力的铁的小母亲！

灯

灯守着我，劬劳地，
凝看我眸子中
有穿着古旧的节日衣衫的
欢乐儿童，
忧伤稚子，
像木马栏似的
转着，转着，永恒地……

而火焰的春阳下的树木般的
小小的爆烈声，
摇着我，摇着我，
柔和地。

美丽的节日萎谢了，
木马栏独自转着转着……
灯徒然怀着母亲的劬劳，
孩子们的彩衣已褪了颜色。

已矣哉！
采撷黑色大眼睛的凝视
去织最绮丽的梦网！
手指所触的地方：
火凝作冰焰，
花幻为枯枝。
灯守着我。让它守着我！

曦阳普照，蜥蜴不复浴其光，
帝王长卧，鱼烛永恒地高烧
在他森森的陵寝。

这里，一滴一滴地，
寂静坠落，坠落，坠落。

断　章

四月蒂带来崭新的叶子给老树，
给我的只是年岁的挂虑，
海啊，一片白帆飘去！

女儿,记在你幼小的心灵:

你童年点缀着海鸟的彩翎,

贝壳的珠色,潮汐的清音,

山岚的苍翠,繁花的绣锦,

和爱你的父母的温存。

流　水

在寂寞的黄昏里，
我听见流水嘹亮的言语：

"穿过暗黑的，暗黑的林，
流到那边去！
到升出赤色的太阳的海去！

"你，被践踏的草和被弃的花，
一同去，跟着我们的流一同去。

"冲过横在路头的顽强的石，
溅起来，溅起浪花来，
从它上面冲过去！

"泻过草地，泻过绿色的草地，
没有踌躇或是休止，
把握住你的意志。

"我们是各处的水流的集体，
从山间，从乡村，
从城市的沟渠……
我们是力的力。

"决了堤防，破了闸！
阻拦我们吗？
你会看见你的毁灭……"

在一个寂寂的黄昏里，
我看见一切的流水，
在同一个方向中，
奔流到太阳的家乡去。

在一个寂寂的黄昏里，

我看见一切的流水，

在同一个方向中，

奔流到太阳的家乡去。

赠　内

空白的诗帖，
幸福的年岁；
因为我苦涩的诗节，
只为灾难树里程碑。

即使清丽的词华
也会消失它的光鲜，
恰如你鬓边憔悴的花
映着明媚的朱颜。

不如寂寂地过一世，
受着你光彩的熏沐，
一旦为后人说起时，
但叫人说往昔某人最幸福。

断　篇

我用无形的手掌摸索广大的土地：
这一角已破碎，那一角是和着血的泥，
那辽远的地方依然还完整，硬坚，
我依稀听到从那里传来雄壮的声音。

辽远的声音啊，虽然低沉，我仍听到，
听到你的呼召，也听到我的心的奔跳，
这两个声音，他们在相互和应，招邀……
啊！在这血染的岛上，我是否要等到老？

无　题

我和世界之间是墙，
墙和我之间是灯，
灯和我之间是书，
书和我之间是——隔膜！

狼和羔羊（寓言诗）

一只小羔羊，

饮水清溪旁。

忽然有一头饿狼，

觅食来到这地方。

他看见羔羊容易欺，

就板起脸儿发脾气：

"你好胆大妄为，

搅浑了我的饮水！

我一定得责罚你，

不容你作歹为非！"

羔羊回答道："陛下容禀：

请陛下暂息雷霆，

小臣是在下流饮水，

陛下在上流，水怎样会弄秽？

陛下贤明聪慧，

一定明白小臣没有弄浑溪水。"

饥狼闻言说道："别嘴犟，

我说你弄浑就弄浑。

你这东西实在可恶，

去年你还骂过我。"

"去年我怎样会对陛下有不敬之辞？

那时我还没有出世，

我是今年三月才出胎，

现在还是在吃奶。"

"不是你，一定是你的哥哥。"

"我没有弟兄。""真可恶。"

"不要嘴犟，我不管你，

不是你哥哥，一定是你的亲戚。

你们这些家伙全不是好东西，

还有看羊人和狗，全合在一起，

整天跟我为难，从来不放手，

别人对我说，一定得报仇。"

说时迟，那时快，

狼心起，把人害，

一跳过去把羊擒，

咬住就向树林行，

也不再三问五审，

把羔羊送给五脏神。

寓言曰：一朝权在手，黑白原不分，

何患无辞说，加以大罪名。

不管你分辩声明，

请戴红帽子一顶。

让你遭殃失意，

我且饱了肚皮。

图书在版编目（ＣＩＰ）数据

在天晴了的时候 / 戴望舒著.-- 武汉 ：长江文艺
出版社， 2020.1（2021.12 重印）
ISBN 978-7-5702-1341-2

Ⅰ. ①在… Ⅱ. ①戴… Ⅲ. ①诗集－中国－现代
Ⅳ. ①I226

中国版本图书馆 CIP 数据核字(2019)第 252268 号

责任编辑：杨　岚　　毛劲羽　　　　　责任校对：毛　娟
封面设计：天行云翼·宋晓亮　　　　　责任印制：邱　莉　　胡丽平

出版：长江出版传媒 ｜ 长江文艺出版社
地址：武汉市雄楚大街 268 号　　　　邮编：430070
发行：长江文艺出版社
http://www.cjlap.com
印刷：武汉市首壹印务有限公司

开本：640 毫米×970 毫米　　　 1/16　　印张：9.25　　插页：1 页
版次：2020 年 1 月第 1 版　　　　 2021 年 12 月第 4 次印刷
行数：2516 行

定价：18.00 元